CW00420716

VIAGGIO IN ITALIA

Seconda ristampa, novembre 2020

Progetto grafico della copertina di Gaia Stella

Testi tratti da: *Il secondo libro delle filastrocche* (1985, 1996), *Fiabe lunghe un sorriso* (1987),
Filastrocche in cielo e in terra (1960), *Il libro degli errori* (1964), *Favole al telefono* (1962),
Filastrocche per tutto l'anno (1986), *Filastrocche lunghe e corte* (1981),
Il Pianeta degli alberi di Natale (1962) di Gianni Rodari

ISBN 978-88-6656-472-0

www.edizioniel.com

Gianni
RODARI

VIAGGIO IN ITALIA

A cura di Arianna Tolin e David Tolin

Illustrazioni di Elenia Beretta

Einaudi Ragazzi

GEOGRAFIA FISICA O FANTASTICA

mari, monti, fiumi...

IL GELATO

Di crema, di limone o di vainiglia,
il gelato, che meraviglia!

In vetta al delicato
cono vede il bambino
dapprima un iridato
massiccio alpino:
e la panna è la neve del Cervino,
la fragola, tra burroni di cioccolato,
è il Monte Rosa, certo.

Poi le dentate scintillanti vette
si sciolgono in delizia, non sono piú
che lisce collinette
o le dune ondulate d'un deserto…

E anche il deserto te lo mangi tu
scoprendo che la sabbia, o meraviglia,
è di crema e limone, e di vainiglia.

[da *Il secondo libro delle filastrocche*]

La cartella
PARLANTE

Ogni sera il mio bambino, prima di andare a dormire, mette in ordine la cartella. O piuttosto, vi caccia dentro alla rinfusa libri, quaderni, astucci, gomme e carte assorbenti: ma lui chiama questa operazione «mettere in ordine la cartella». E non sa che, appena i suoi occhi si chiudono e i dolci fantasmi del sonno danzano attorno al suo cuscino, nella cartella gli oggetti si animano, si stiracchiano come facciamo noi al mattino, si salutano e si mettono a conversare.

La carta assorbente cerca di spianare un poco le orecchie ai quattro angoli e cosí si lamenta: – Cari amici, oggi me ne sono toccate di tutti i colori. Il nostro padrone mi ha riempita completamente di «evviva» a un certo Coppi Fausto, lui anzi ha scritto «Copi», con una P sola. Guardatemi, per favore, sembro un manifesto delle elezioni!

– Ti lamenti? – interviene il libro di storia e geografia, – per favore, da' un'occhiata alle mie pagine. Il nostro simpatico tiranno ha fatto i baffi con la penna a Carlo Magno, ha messo una piuma sul cappello di Giotto e ha disegnato una mosca sul naso di Cristoforo Colombo. Ha prolungato il corso del Po fino a farlo giungere a Trieste e ha disegnato un ponte di barche tra la Sicilia e la Sardegna. Una rivoluzione, vi dico.

– Questo è niente, – brontola il libro di lettura, – osservate per piacere la mia pagina 45: tutte le O sono state dipinte di rosso, tutte le A di verde, tutte le E di giallo. A pagina 57, chissà perché, il nostro giovanotto ha disegnato la testa di un serpente che con il suo corpo attraversa pagina 58 e pagina 59 e va a finire con la coda a pagina 60. Un serpente a sonagli, dice lui. Forse per questo lo ha riempito per tutta la sua lunghezza di campanellini!

– Osservate come ha masticato la mia bella punta, – esclama la penna.

– Mi ha tolto tutta la mia pellicina marrone, – si lagna la matita.

Io, che sono il padre del colpevole, ascolto tutto confuso. Vorrei svegliare il bambino per fargli sentire come si parla di lui, ma proprio in questo momento la cartella si apre e due quaderni, uno a righe e l'altro a quadretti, vengono in commissione a presentarmi un memoriale.

– Lei non ne ha colpa, forse, – mi dice gentilmente il quaderno a quadretti. – In ogni caso, queste sono le nostre richieste. La preghiamo di trasmetterle a suo figlio.

Mi presentano un foglio scritto e rientrano nella cartella. Il foglio dice:

«Noi sottoscritti protestiamo vivamente per le violenze di cui siamo vittime ogni giorno. Chiediamo con energia:

1) che il nostro padrone si astenga dall'imbrattarci con "evviva", disegnini, baffi finti e altri segni illegali, cioè non previsti dal programma scolastico;

2) che l'incolumità delle matite e delle penne sia salvaguardata e che la loro punta non venga piú masticata;

3) che i pennini siano sempre custoditi nell'apposito astuccio e non gettati in disordine fra gli altri oggetti.

Anche stamane il libro di geografia è stato gravemente ferito da un pennino disperso.

Se le nostre richieste non verranno soddisfatte, faremo di tutto perché il nostro padrone sia bocciato. Firmato: *il Sussidiario*, *il Quaderno dei problemi*, *il Quaderno dei diari*, *la Matita copiativa*, eccetera eccetera».

Domani mattina farò leggere questo foglio al mio bambino. Spero di non dover sentire piú queste lamentele.

[da *Fiabe lunghe un sorriso*]

L'ago DI GARDA

C'era una volta un *lago*, e uno scolaro
un po' somaro, un po' mago,
con un piccolo apostrofo
lo trasformò in un *ago*.
– Oh, guarda, guarda, –
la gente diceva,
– l'ago di Garda!
– Un ago importante:
è segnato perfino sull'atlante.
– Dicono che è pescoso.
Il fatto è misterioso:
dove staranno i pesci, nella cruna?
– E dove si specchierà la luna?

– Sulla punta si pungerà,
si farà male…
– Ho letto che ci naviga un battello.
– Sarà piuttosto un ditale.
Da tante critiche punto sul vivo
mago distratto cancellò l'errore,
ma lo fece con tanta furia
che, per colmo d'ingiuria,
si rovesciò l'inchiostro
formando un lago nero e senza apostrofo.

[da *Filastrocche in cielo e in terra*]

IL TENORE PROIBITO

Un giorno, a Verona, andai a sedermi sulle gradinate dell'Arena romana. Quand'è la stagione, e vi rappresentano le opere di Verdi o di Wagner, su quelle gradinate si mettono a sedere ventiduemila persone. Quel giorno c'erano (era un pomeriggio di sole) ventunmilanovecentonovantanove posti vuoti e un solo posto occupato: il mio. Tutta l'Arena era per me. Venti secoli di storia mi giravano intorno. Tendendo l'orecchio sentivo quasi scalpitare il cavallo di Teodorico. Quello della poesia di Giosuè Carducci:

Teodorico di Verona
dove vai tanto di fretta?
Tornerem, sacra corona,
alla casa che ci aspetta?...

Tendendo meglio l'orecchio, udii qualcosa di mezzo tra un sospiro e un singhiozzo alle mie spalle. Mi voltai vivacemente. Qualcuno si era venuto a sedere due file piú in alto, mentre io mi beavo della mia solitudine. Anche seduto, pareva immenso. Se si fosse alzato, avrebbe oscurato il sole.

Insomma, una specie di gigante, alto piú di due metri, barbuto come un guerriero medievale, imponente come un castello. E piangeva. Vedevo le sue spalle sussultare, vedevo le lagrime scorrergli giú per la barba bionda.

– Si sente male? Ha bisogno di qualcosa? – gli domandai, accostandomi a lui.

Egli mi guardò senza vedermi, e per lunghi minuti non mi rispose. Poi disse: – Sono trent'anni che sto male, ma lei non può fare nulla per me.

– Mi dispiace.

– A me dispiace anche di piú.

Tanto per cercare di distrarlo, mi misi a raccontargli le mie impressioni di una lontana sera, in cui avevo assistito, proprio all'Arena di Verona, alla rappresentazione del *Barbiere di Siviglia*. Ahimè! Fu come versare del sale su una piaga aperta. Il gigante balzò in piedi, urlando:

– Basta, basta!

Pochi secondi dopo gli rispose di lontano un sordo boato.

– Ecco, – egli mormorò, – e tutto per colpa sua.

– Per colpa mia *che cosa*, scusi tanto?

– Lo avrà sentito quel boato.

– E con ciò? Avranno fatto esplodere una mina da qualche parte.

– Non si illuda, – mi disse il gigante, scrollando tristemente il capo. – Sono pronto a giurare che domani, sui giornali, leggeremo la notizia di qualche crollo. Spero soltanto che non sia crollato un ponte. Vi sono poche cose al mondo, belle come i ponti sull'Adige a Verona.

– Su questo mi dichiaro d'accordo con lei. Nella sventurata ipotesi di un crollo, però, non vedo quali potrebbero essere le mie responsabilità.

– Io sí. Lei mi ha tormentato, ed io, senza potermi piú controllare, le ho risposto con un grido. Quel grido...

– Quel grido?

Il gigante rimase un momento silenzioso, poi mi allungò una mano e disse: – Permette? Aristofane Lanciadoro, tenore proibito.

– Proibito?

– Purtroppo, signore. Io sono, al di là di ogni dubbio, il miglior tenore del mondo, signore. Ma il destino mi condanna a rimanere muto. Ecco perché, quasi ogni giorno, vengo qui a piangere, in questa Arena che avrebbe potuto rappresentare per me la gloria. Lei deve sapere che la natura mi ha dotato di una voce meravigliosa, ma troppo forte. Un giorno, potevo avere dieci anni, mi spaventai alla vista di uno scorpione e gridai: «Mamma!». Signore, in quel preciso istante la nostra casetta scoppiò come un mortaretto, e solo

per un miracolo mia madre poté essere estratta dalle macerie.

Tacque, guardando nel vuoto. Forse vedeva ancora il polverone di quel crollo lontano.

– A quindici anni cominciai lo studio del canto. Il primo giorno i miei acuti fracassarono il pianoforte del mio maestro e tutti i vetri della contrada. Il secondo giorno intervennero le autorità. Studiavo a Pisa, signore. Pare che la potenza della mia voce avesse inferto una pericolosa inclinazione alla famosa torre, già di per se stessa pendente. Insomma, se non volevo privare la

Toscana e l'Italia di uno dei loro monumenti piú insigni, dovevo allontanarmi, o promettere di cantare con un fazzoletto in bocca.

Tacque di nuovo, rabbrividendo. Confesso che anch'io tremai al pensiero della perdita irreparabile per l'arte italiana, se il campanile di Pisa avesse ricevuto qualche altra spintarella dalla voce di Aristofane Lanciadoro.

– Adottando infinite cautele, – egli proseguí, – riuscii a cantare alla Scala di Milano. Una sola volta, però. E per pochissimi minuti. Conosce il *Rigoletto* di Giuseppe Verdi? Facevo la parte del Duca di Mantova. Quando attaccai la famosissima aria che fa: «La donna è mobile – qual piuma al vento...» si udí un sinistro scricchiolio...

– Crollavano i palchi?

– No, signore. Avevo avuto la precauzione di mandare la voce in direzione di una finestra aperta. Risultato: tredici guglie del Duomo incrinate. I milanesi volevano lapidarmi sulla pubblica piazza. Poi, venne la grande idea: dovevo cantare all'aperto, in un luogo abbastanza ampio, dove la mia voce potesse espandersi senza pericoli. L'Arena, signore. L'Arena di Verona.

Si guardò intorno, asciugandosi le lagrime.

– Qui, signore, nel Millenovecentoquaran... ma la data non importa. Fu una grande «Aida», amico mio. La piú grande «Aida» che sia mai stata allestita fino all'ultimo atto, fino all'ultima scena. Mandavo la voce in direzione delle stelle, per essere sicuro di non causare danno alle persone e alle cose. Si udí, di quando in quando, un boato lontano. Ma solo il giorno dopo si seppe che cosa era accaduto...

– Per carità, che cosa?

– Le Dolomiti, amico mio. In linea d'aria le Dolomiti non sono tanto lontane di qui. Quella notte, lassú, ci fu il finimondo. Ha presenti le cime del Latemar, sopra il lago di Carezza? Ricorda le tre cime di Lavaredo? Le Torri di Sella? Un disastro. Decine e decine di picchi rocciosi vennero giú come candele sciolte dal sole. Le «sorelle di Vaiolet» erano cinque: ora sono soltanto tre. Il Catinaccio ridotto come un colabrodo. Se avessi can-

tato ancora un paio di sere, il paesaggio dolomitico si sarebbe trasformato come per effetto di un cataclisma cosmico. Per la salvezza delle Alpi, dovevo tacere. E ho taciuto. Da allora, signore mio, non ho cantato mai piú. Amo troppo l'Italia, per guastarne le bellezze.

E qui Aristofane Lanciadoro, buttando per terra il fazzoletto, si abbandonò disperatamente ai singhiozzi. Che fare? Che cosa tentare per salvarlo, per ridargli fiducia nella vita? Ma certo! I satelliti artificiali! Ecco quel che ci voleva. Che stupido, a non averci pensato prima.

Il resto lo sapete anche voi. Prossimamente il grande tenore Aristofane Lanciadoro verrà lanciato intorno alla Terra a bordo di un satellite artificiale: canterà di lassú, e lo sentiranno in tutto il mondo. Da quella distanza egli non potrà far crollare né i ponti sull'Adige né i grattacieli di Nuova York.

Un girotondo di note limpide e melodiose circonderà il nostro vecchio globo e gli canterà la ninna-nanna.

[da *Il libro degli errori*]

FA FREDDO

Italia sottozero.
Lo stivale si è ghiacciato.
Sta la neve sui monti
come panna sul gelato.

I gatti del Colosseo,
a Roma, battono i denti.
Si pattina sul Po
e i suoi maggiori affluenti.

È gelata la coda
di un asino a Potenza.
Le gondole di Venezia
sono a letto con l'influenza.

Un pietoso alpinista
è partito da Torino
per mettere un berretto
sulla cima del Cervino.

Ma dov'è, dov'è il mago
con la fiaccola fatata
per portare in tutte le case
una calda fiammata?

[da *Filastrocche in cielo e in terra*]

Il mare ADRIATICO

Ho conosciuto un tale,
un tale di Cesenatico,
che voleva comprare
il mare Adriatico.

Lo voleva tutto suo,
da Trieste in giú,
quel bellissimo mare
piú verde che blu.

– Pagherò quello che costa,
e mettete pure nel conto
Venezia, Ancona, Bari
e San Benedetto del Tronto.

Voglio essere il proprietario
ed unico padrone
del mare, delle spiagge,
dei pesci, delle persone.

– Ma che cosa ne vuol fare? –
gli domandava la gente...
– Il mare, se ci fa un tuffo,
è tutto suo, per niente.

Lo può guardare gratis
da Brindisi, da Porto Corsini...
E poi, dove li mette
i bastimenti, i delfini?

– Farò fare una cassaforte
cosí grande che basterà
per il mare e le sue barche,
i paesi e le città.

Non avete capito
che tipo sono io?

A me il mondo non piace
se non posso dire: *è mio* –.

Era un tipo cosí,
quel tale che vi ho detto.
Soldi ne aveva a montagne,
ma in fondo era un poveretto...

Non sapeva che il mondo
non costa nemmeno un quattrino:
può averlo tutto gratis
se vuole, anche un bambino.

[da *Filastrocche in cielo e in terra*]

Sulla spiaggia di Ostia

A pochi chilometri da Roma c'è la spiaggia di Ostia, e i romani d'estate ci vanno a migliaia di migliaia, sulla spiaggia non resta nemmeno lo spazio per scavare una buca con la paletta, e chi arriva ultimo non sa dove piantare l'ombrellone.

Una volta capitò sulla spiaggia di Ostia un bizzarro signore, davvero spiritoso. Arrivò per ultimo, con l'ombrellone sotto il braccio, e non trovò il posto per piantarlo. Allora lo aprí, diede un'aggiustatina al manico e subito l'ombrellone si sollevò per aria, scavalcò migliaia di migliaia di ombrelloni e andò a mettersi proprio in riva al mare, ma due o tre metri sopra la punta degli altri ombrelloni. Lo spiritoso signore aprí la sua sedia a sdraio, e anche quella galleggiò per aria; si sdraiò all'ombra dell'ombrellone, levò di tasca un libro e cominciò a leggere, respirando l'aria del mare, frizzante di sale e di iodio.

La gente, sulle prime, non se ne accorse nemmeno. Stavano tutti sotto i loro ombrelloni, cercavano di vedere un pezzetto di mare tra le teste di quelli che stavano davanti, o facevano le parole crociate, e nessuno guardava per aria. Ma ad un tratto una signora sentí qualcosa cadere sul suo ombrellone, pensò che fosse una palla, uscí per sgridare i bambini, si guardò intorno, guardò per aria e vide lo spiritoso signore sospeso sulla sua testa. Il signore guardava in giú e disse a quella signora:

– Scusi, signora, mi è caduto il libro. Me lo ributta su per cortesia?

La signora, per la sorpresa, cadde seduta nella sabbia e siccome era molto grassa non riusciva a risollevarsi.

Accorsero i parenti per aiutarla, e la signora, senza parlare, indicò loro col dito l'ombrellone volante.

– Per piacere, – ripeté lo spiritoso signore, – mi ributtano su il mio libro?

– Ma non vede che ha spaventato nostra zia!

– Mi dispiace tanto, non ne avevo davvero l'intenzione.

– E allora scenda di lí, è proibito.

– Niente affatto, sulla spiaggia non c'era posto e mi sono messo qui. Anch'io pago le tasse, sa?

Uno dopo l'altro, intanto, tutti i romani della spiaggia si decisero a guardare per aria, e si additavano ridendo quel bizzarro bagnante.

– Anvedi quello, – dicevano, – ci ha l'ombrellone a reazzione!

– A Gagarin, – gli gridavano, – me fai montà puro ammè?

Un ragazzino gli gettò su il libro, e il signore lo sfogliava nervosamente per ritrovare il segno, poi si rimise a leggere sbuffando. Pian piano lo lasciarono in

pace. Solo i bambini, ogni tanto, guardavano per aria con invidia, e i piú coraggiosi chiamavano:

– Signore, signore!

– Che volete?

– Perché non ci insegna come si fa a star per aria cosí?

Ma quello sbuffava e tornava a leggere. Al tramonto, con un leggero sibilo, l'ombrellone volò via, lo spiritoso signore atterrò sulla strada vicino alla sua motocicletta, montò in sella e se ne andò. Chissà chi era e chissà dove aveva comprato quell'ombrellone.

[da *Favole al telefono*]

Il Vesuvio con la tosse

A Napoli c'è il Vesuvio.
Una volta fumava.
Gli veniva la tosse.

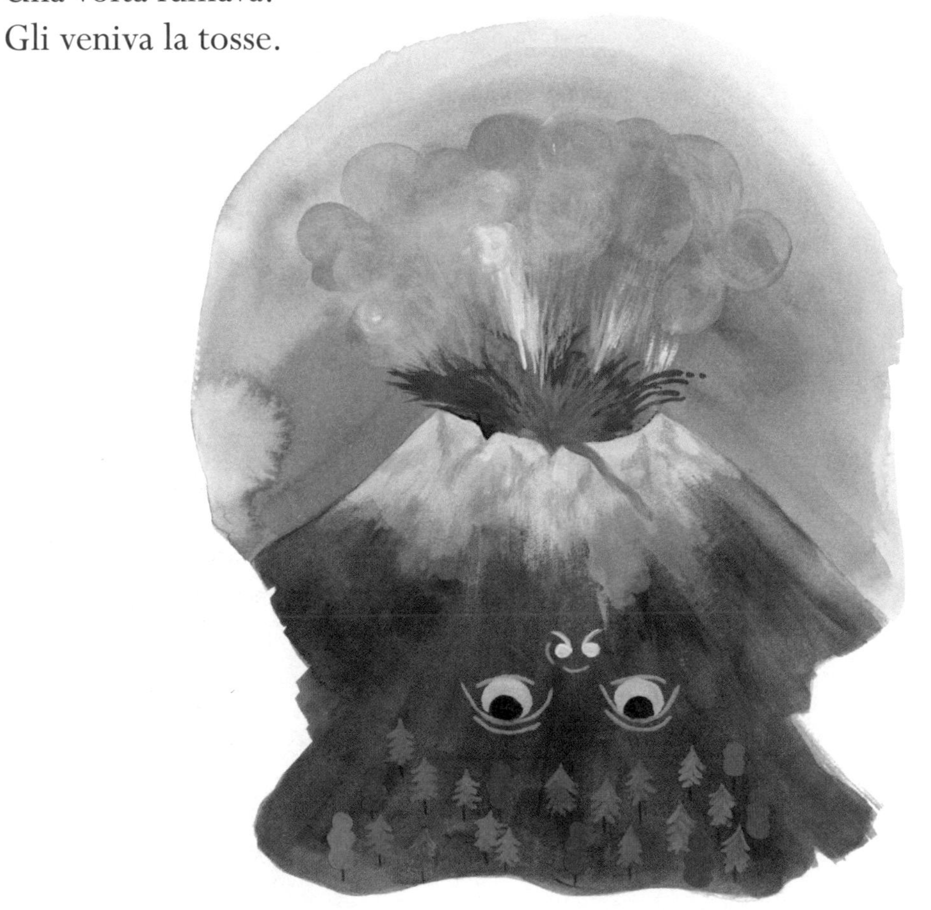

Il dottore gli ha detto:
– La smette di fumare?
– Sí, sí, dottore, la smetto.

[da *Il secondo libro delle filastrocche*]

L’Acca IN FUGA

C’era una volta un’Acca.

Era una povera Acca da poco: valeva un’acca, e lo sapeva. Perciò non montava in superbia, restava al suo posto e sopportava con pazienza le beffe delle sue compagne. Esse le dicevano:

– E cosí, saresti anche tu una lettera dell’alfabeto? Con quella faccia?

– Lo sai o non lo sai che nessuno ti pronuncia?

Lo sapeva, lo sapeva. Ma sapeva anche che all’estero ci sono paesi, e lingue, in cui l’acca ci fa la sua figura.

«Voglio andare in Germania, – pensava l’Acca,

quand'era piú triste del solito. – Mi hanno detto che lassú le Acca sono importantissime».

Un giorno la fecero proprio arrabbiare. E lei, senza dire né uno né due, mise le sue poche robe in un fagotto e si mise in viaggio con l'autostop.

Apriti cielo! Quel che successe da un momento all'altro, a causa di quella fuga, non si può nemmeno descrivere.

Le chiese, rimaste senz'acca, crollarono come sotto i bombardamenti. I chioschi, diventati di colpo troppo leggeri, volarono per aria seminando giornali, birre, aranciate e granatine in ghiaccio un po' dappertutto.

In compenso, dal cielo caddero giú i cherubini: levargli l'acca, era stato come levargli le ali.

Le chiavi non aprivano piú, e chi era rimasto fuori casa dovette rassegnarsi a dormire all'aperto.

Le chitarre perdettero tutte le corde e suonavano meno delle casseruole.

Non vi dico il Chianti, senz'acca, che sapore disgustoso. Del resto era impossibile berlo, perché i bicchieri, diventati «biccieri», schiattavano in mille pezzi.

Mio zio stava piantando un chiodo nel muro, quando le Acca sparirono: il «ciodo» si squagliò sotto il martello peggio che se fosse stato di burro.

La mattina dopo, dalle Alpi al Mar Jonio, non un solo gallo riuscí a fare chicchirichí: facevano tutti *ciccirici*, e pareva che starnutissero. Si temette un'epidemia.

Cominciò una gran caccia all'uomo, anzi scusate, all'Acca. I posti di frontiera furono avvertiti di raddoppiare la vigilanza. L'Acca fu scoperta nelle vicinanze del Brennero, mentre tentava di entrare clandestinamente in Austria, perché non aveva passaporto. Ma dovettero pregarla in ginocchio: – Resti con noi, non ci faccia questo torto! Senza di lei, non riusciremmo a pronunciare bene nemmeno il nome di Dante Alighieri. Guardi, qui c'è una petizione degli abitanti di Chiavari, che le offrono una villa al mare. E questa è una lettera del capo-stazione di Chiusi-Chianciano, che senza di lei diventerebbe il capo-stazione di Ciusi-Cianciano: sarebbe una degradazione.

L'Acca era di buon cuore, ve l'ho già detto. È rimasta, con gran sollievo del verbo chiacchierare e del pronome chicchessia. Ma bisogna trattarla con rispetto, altrimenti ci pianterà in asso un'altra volta.

Per me che sono miope, sarebbe gravissimo: con gli «occiali» senz'acca non ci vedo da qui a lí.

[da *Il libro degli errori*]

VIAGGIO
IN ITALIA
cento città

I viaggi di Pulcinella

Pulcinella andava a Biella,
montò sopra una carrozzella,
e se il cavallo era attaccato
certo a quest'ora era arrivato.

Pulcinella andava a Torino,
montò sopra un cavallino,
e se il cavallo non era di legno
andava a Torino e anche a Collegno.

[da *Filastrocche in cielo e in terra*]

GENOVA

A Genova, di notte,
una sirena ha chiamato:
parte la bella nave
che l'ancora ha salpato.

Un grappolo di luci
si stacca dalla città:
è un palazzo di sette piani
che per mare se ne va...

[da *Filastrocche per tutto l'anno*]

Il semaforo blu

Una volta il semaforo che sta a Milano in piazza del Duomo fece una stranezza. Tutte le sue luci, ad un tratto, si tinsero di blu, e la gente non sapeva piú come regolarsi.

– Attraversiamo o non attraversiamo? Stiamo o non stiamo?

Da tutti i suoi occhi, in tutte le direzioni, il semaforo diffondeva l'insolito segnale blu, di un blu che cosí blu il cielo di Milano non era stato mai.

In attesa di capirci qualcosa gli automobilisti strepitavano e strombettavano, i motociclisti facevano ruggire

lo scappamento e i pedoni piú grassi gridavano: – Lei non sa chi sono io!

Gli spiritosi lanciavano frizzi: – Il verde se lo sarà mangiato il commendatore, per farci una villetta in campagna.

– Il rosso lo hanno adoperato per tingere i pesci ai Giardini.

– Col giallo sapete che ci fanno? Allungano l'olio d'oliva.

Finalmente arrivò un vigile e si mise lui in mezzo all'incrocio a districare il traffico. Un altro vigile cercò la cassetta dei comandi per riparare il guasto, e tolse la corrente.

Prima di spegnersi il semaforo blu fece in tempo a pensare:

«Poveretti! Io avevo dato il segnale di "via libera" per il cielo. Se mi avessero capito, ora tutti saprebbero volare. Ma forse gli è mancato il coraggio».

[da *Favole al telefono*]

Como nel comò

Una volta un accento
per distrazione cascò
sulla città di Como
mutandola in comò.

Figuratevi i cittadini
comaschi, poveretti:
detto e fatto si trovarono
rinchiusi nei cassetti.

Per fortuna uno scolaro
rilesse il componimento
e liberò i prigionieri
cancellando l'accento.

Ora ai giardini pubblici
han dedicato un busto
*«A colui che sa mettere
gli accenti al posto giusto»*.

[da *Filastrocche in cielo e in terra*]

Due domande per ridere
E UNA SUL SERIO

Chissà, chissà se la luna di Milano
è la stessa che c'è a Bolzano
e a Santa Marinella
o è soltanto... sua sorella?

E il sole di Torino
è lo stesso di Pechino,
o è un sole... cugino?

Siamo tutti sulla stessa Terra,
marinai dello stesso bastimento:

perché farci la guerra
invece di filare
avanti sempre con le vele al vento?

[da *Filastrocche lunghe e corte*]

Il signore di Venezia

A Venezia un signore
è diventato un pesce.
Un altro signore prova,
però non gli riesce.

– Su, guardi com'è facile,
è utile, è di moda:
basta farsi crescere
due pinne e la coda... –

Quel signore va nuotando
per canali e canaletti
e saluta i conoscenti
che passano sui vaporetti.

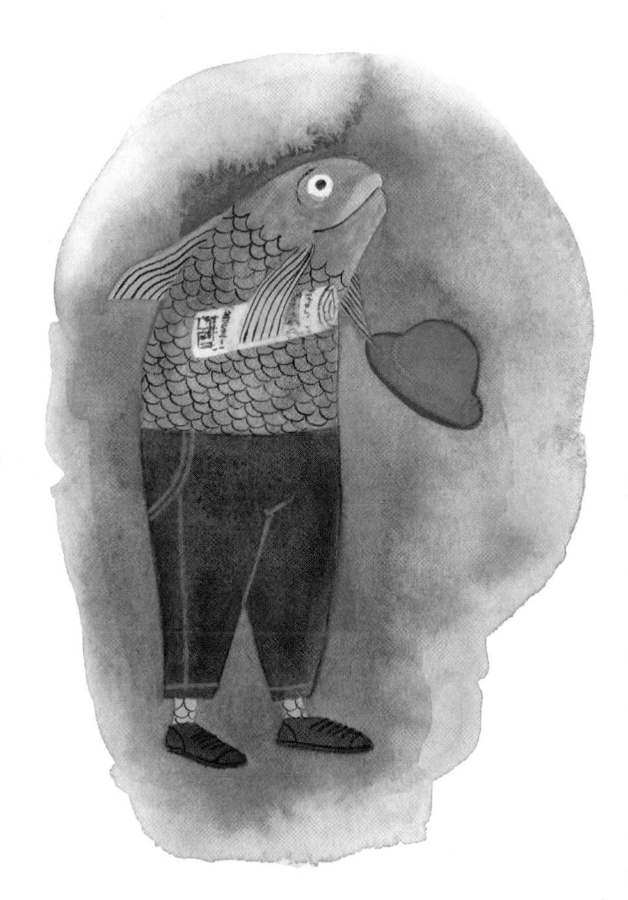

Qualcuno dice: – Strano… –
Qualche altro dice: – Bello
vedere un pesce
che si leva il cappello.

[da *Filastrocche in cielo e in terra*]

LA BORA e il ragioniere

È facile incontrare a Trieste, negli uffici delle compagnie di navigazione, certi signori piccoli e secchi che passano la vita a incolonnare cifre e a tenere in ordine la corrispondenza con Nuova York, Sidney, Liverpool, Odessa, Singapore. Gli si può rivolgere la parola in cinque o sei lingue a scelta – l'italiano, il tedesco, l'inglese, lo sloveno, il croato, l'ungherese – e loro saltano da una lingua all'altra con la facilità con cui un uccellino salta da un ramo all'altro del suo stesso albero. Hanno mogli alte, bionde e bellissime, perché a Trieste le donne sono tutte belle. Hanno figli alti e robusti che vanno in palestra, sono campioni di canottaggio, studiano fisica nucleare, eccetera. Ma loro sono piccoli e secchi, chissà perché. Chissà poi se sono proprio tutti piccoli e secchi. Forse li pensiamo cosí perché ci ricordiamo del ragionier Francesco Giuseppe Franza, il famoso ragionier Franza, che la bora – quando soffiava piú forte – se lo portava via.

La bora, quel gran vento di Trieste piú impetuoso e veloce di un treno rapido in piena corsa.

E Francesco Giuseppe. (A proposito, non l'avevano mica chiamato cosí in onore del vecchio imperatore d'Austria, ma perché aveva un nonno che si chiamava Francesco e un altro che si chiamava Giuseppe.) Dunque questo signore, quando era un bambino e andava a scuola, pesava sí e no quanto un gatto. Nei giorni di bora, prima di mandarlo in giro nel vasto mondo, la mamma gli faceva mille raccomandazioni e gli metteva un mattone nella cartella, perché il vento non se lo portasse via, chissà dove.

Una mattina del 1915 lo scolaro piú leggero di Trie-

ste se ne andava per l'appunto a scuola, carico di libri e di mattoni, quando un gendarme austriaco gli puntò addosso un dito minaccioso, accusandolo di manifestazione sovversiva. Francesco Giuseppe aveva indosso un cappotto verde, una sciarpa rossa e un berretto di lana bianca, e se ne andava per la strada, tutto solo, come una bandierina italiana scappata da un cassetto per turbare l'ordine pubblico dell'Impero Austro-Ungarico.

Francesco Giuseppe portava già allora gli occhiali, perché era un po' miope, ma il dito di un gendarme sapeva distinguerlo tra migliaia di dita.

Per lo spavento mollò ad un tratto la cartella. Se un

pallone aerostatico avesse mollato tutto in una volta gli ormeggi e la zavorra non si sarebbe sollevato piú rapidamente. Privo dei prudenti contrappesi materni, Francesco Giuseppe si staccò dal suolo e la bora lo soffiò in alto come una piuma.

Un istante dopo la piccola bandiera italiana sventolava aggrappata alla cima di un lampione.

– Scendi! – gridava l'Impero Austro-Ungarico.

– Non posso, – esclamava Francesco Giuseppe.

Non poteva. È difficile arrampicarsi in salita, ma arrampicarsi in discesa, col vento contrario, può essere anche piú difficile.

Una piccola folla si raccolse ben presto nelle vicinanze e molti buoni triestini fingevano allegramente di sgridare il perturbatore della quiete.

– Monellaccio, ubbidisci alla signora guardia.

– Eh! I ragazzi d'oggi, non hanno piú rispetto per le autorità.

Il gendarme si allontanò in cerca di rinforzi. Un salumiere uscí dalla sua bottega con una scala, un facchino del porto salí a prendere Francesco Giuseppe e lo portò giú di peso. Il ragazzo raccattò la cartella e corse via, accompagnato da applausi e risate.

Passarono gli anni, i lustri e i decenni. Francesco Giuseppe era diventato un impiegato modello, incolonnava cifre, scriveva lettere a Bangkok, accompagnava la sua bellissima signora ai concerti e i suoi figli in palestra. Ma nei giorni di bora, un po' sul serio, un po' per nostalgia della mamma, metteva ancora nella sua cartella quel vecchio mattone, sempre quello.

Una mattina del 1957 – una mattina di bora – un cane lo urtò mentre camminava a fatica, controvento. La cartella gli cadde su un piede. Dentro c'era il mattone, ma il ragionier Francesco Giuseppe non fece in tempo a provare dolore, perché già volava, già scavalcava i tetti dei magazzini, il fumo dei rimorchiatori, i mercantili all'ancora nel porto, per finire aggrappato al fumaiolo di una nave in partenza per l'Australia.

A scendere non s'arrischiava, per aria non guardava nessuno. Lo scopersero, stanco e affamato, quando già la nave lasciava le acque dell'Adriatico per quelle dello Jonio.

– Capitano, un clandestino!

– Perbacco, dovremo portarcelo fino ad Alessandria d'Egitto... non possiamo mica tornare indietro per lui.

Il ragionier Francesco Giuseppe, sulle prime, si ribellò alla qualifica di «clandestino». Parlò della bora, del mattone e del cane, ma quando si accorse che il capitano era disposto a cambiare parere solo per considerarlo uno squilibrato, tacque del tutto.

Da Alessandria telegrafò alla famiglia e alla compagnia e si fece rimpatriare.

Naturalmente, nemmeno a Trieste gli credettero.

– Portato via dalla bora? Ma fate il piacere. Ditemi che un asino ha volato, piuttosto, e ci crederò.

– Rifacciamo l'esperimento, – proponeva il ragioniere. – Vi mostrerò com'è accaduto.

Quando la sua signora gli propose, invece, di farsi visitare da un dottore, decise di non insistere piú per essere creduto.

– Pazienza, – si disse. – Peggio per loro. Sarà il mio segreto.

E lo è ancora. Ogni volta che arriva la bora, Francesco Giuseppe fa cosí: lascia passare un giorno o due senza far nulla di strano, perché nessuno s'insospettisca, poi chiede un pomeriggio di permesso, va sulle colline e vola.

E per volare, ecco come fa: si riempie le tasche di sassi, si lega una fune alla vita e attacca la fune a un

albero; poi getta pian piano la zavorra e si solleva, si innalza fin dove la fune glielo permette, e rimane lassú tutto il tempo che gli piace, se la bora non cessa. Che fa lassú?

Si guarda intorno, si diverte a incuriosire gli uccelli, qualche volta apre un libro e legge. Di preferenza legge le poesie di Umberto Saba, un grande poeta triestino morto pochi anni or sono. Forse la cosa vi stupirà, ma non dovrebbe. Perché un ragioniere non dovrebbe amare le poesie? Perché un uomo comune, uguale a tanti altri, non dovrebbe avere un suo prezioso segreto?

Non giudicate mai gli uomini dal loro aspetto, dalla loro professione, dallo stato della loro giacca. Ogni uomo può fare cose straordinarie: molti non le fanno soltanto perché non sanno di poterle fare, o perché non sanno liberarsi in tempo del loro mattone.

[da *Il libro degli errori*]

IL RE
DELLE MARMOTTE

Il re delle marmotte
comanda a mezzanotte.

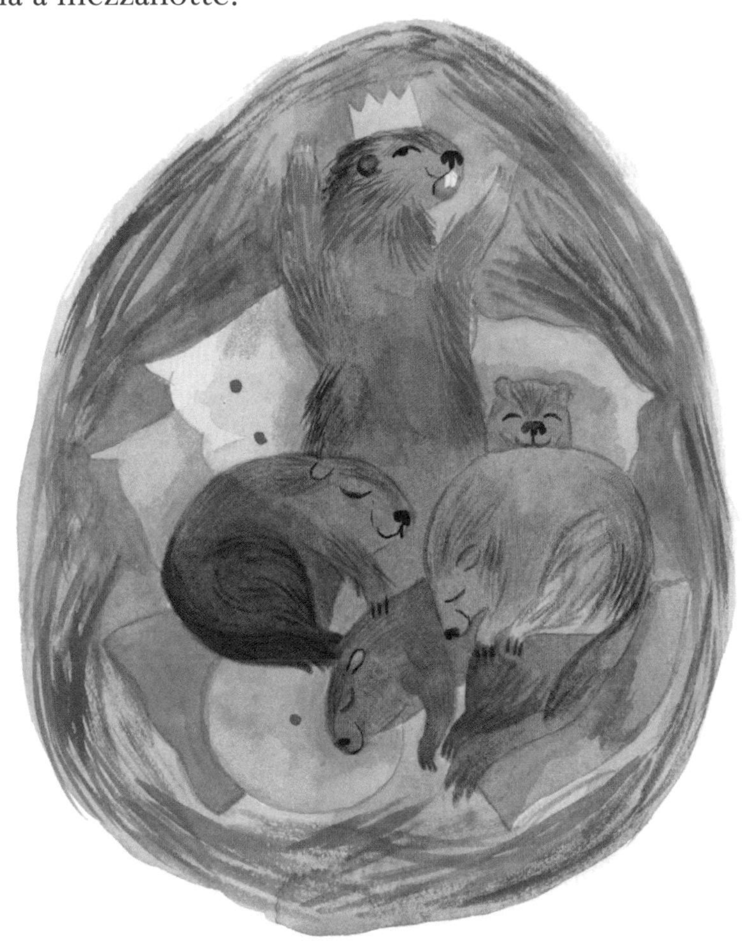

Comanda di dormire
fino al primo di aprile.

Il primo che si sveglia
farà la penitenza:
andrà su una gamba sola
da Udine a Potenza.

[da *Filastrocche in cielo e in terra*]

LA GIOSTRA di Cesenatico

Una volta a Cesenatico, in riva al mare, capitò una giostra. Aveva in tutto sei cavalli di legno e sei jeep rosse, un po' stinte, per i bambini di gusti piú moderni.

L'ometto che la spingeva a forza di braccia era piccolo, magro, scuro, e aveva la faccia di uno che mangia un giorno sí e due no. Insomma, non era certo una gran giostra, ma ai bambini doveva parere fatta di cioccolato, perché le stavano sempre intorno in ammirazione e facevano capricci per salirvi.

«Cos'avrà questa giostra, il miele?», si dicevano le mamme. E proponevano ai bambini: – Andiamo a vedere i delfini nel canale, andiamo a sederci in quel caffè coi divanetti a dondolo.

Niente: i bambini volevano la giostra.

Una sera un vecchio signore, dopo aver messo il nipote in una jeep, salí lui pure sulla giostra e montò in sella a un cavalluccio di legno. Ci stava scomodo, perché aveva le gambe lunghe e i piedi gli toccavano terra, rideva. Ma appena l'ometto cominciò a far girare la giostra, che meraviglia: il vecchio signore si trovò in un attimo all'altezza del grattacielo di Cesenatico, e il suo cavalluccio galoppava nell'aria, puntando dritto il muso verso le nuvole. Guardò giú e vide tutta la Romagna, e poi tutta l'Italia, e poi la terra intera che si allontanava sotto gli zoccoli del cavalluccio e ben presto fu anche lei una piccola giostra azzurra che girava, girava, mostrando uno dopo l'altro i continenti e gli oceani, disegnati come su una carta geografica.

«Dove andremo?», si domandò il vecchio signore.

In quel momento gli passò davanti il nipotino, al volante della vecchia jeep rossa un po' stinta, trasformata in un veicolo spaziale. E dietro a lui, in fila, tutti gli altri bambini, tranquilli e sicuri sulla loro orbita come tanti satelliti artificiali.

L'omino della giostra chissà dov'era, ormai; però si sentiva ancora il disco che suonava un brutto *cha-cha-cha*: ogni giro di giostra durava un disco intero.

«Allora il trucco c'era, – si disse il vecchio signore. – Quell'ometto dev'essere uno stregone».

E pensò anche: «Se nel tempo di un disco faremo un giro intero della terra, batteremo il record di Gagarin».

Ora la carovana spaziale sorvolava l'Oceano Pacifico con tutte le sue isolette, l'Australia coi canguri che spiccavano salti, il Polo Sud, dove milioni di pinguini stavano col naso per aria. Ma non ci fu il tempo di contarli: al loro posto già gli indiani d'America facevano segnali col fumo, ed ecco i grattacieli di Nuova York, ed ecco un solo grattacielo, ed era quello di Cesenatico. Il disco era finito. Il vecchio signore si guardò intorno, stupito: era di nuovo sulla vecchia, pacifica giostra in riva all'Adriatico, l'ometto scuro e magro la stava frenando dolcemente, senza scosse.

Il vecchio signore scese traballando.

– Senta, lei, – disse all'ometto. Ma quello non aveva

tempo di dargli retta, altri bambini avevano occupato i cavalli e le jeep, la giostra ripartiva per un altro giro del mondo.

– Dica, – ripeté il vecchio signore, un po' stizzito.

L'ometto non lo guardò nemmeno. Spingeva la giostra, si vedevano passare in tondo le facce allegre dei bambini che cercavano quelle dei loro genitori, ferme in cerchio, tutte con un sorriso d'incoraggiamento sulle labbra.

Uno stregone quell'ometto da due soldi? Una giostra magica quella buffa macchina traballante al suono di un brutto *cha-cha-cha*?

– Via, – concluse il vecchio, – è meglio che non ne parli a nessuno. Forse riderebbero alle mie spalle e mi direbbero: Non sa che alla sua età è pericoloso andare in giostra, perché vengono le vertigini?

[da *Favole al telefono*]

I bravi signori

Un signore di Scandicci
buttava le castagne
e mangiava i ricci.

Un suo amico di Lastra a Signa
buttava i pinoli
e mangiava la pigna.

Un suo cugino di Prato
mangiava la carta stagnola
e buttava il cioccolato.

Tanta gente non lo sa
e dunque non se ne cruccia:
la vita la butta via
e mangia soltanto la buccia.

[da *Filastrocche in cielo e in terra*]

QUANTI PESCI
ci sono nel mare?

Tre pescatori di Livorno
disputarono un anno e un giorno

per stabilire e sentenziare
quanti pesci ci sono nel mare.

Disse il primo: – Ce n'è piú di sette,
senza contare le acciughette.

Disse il secondo: – Ce n'è piú di mille,
senza contare scampi ed anguille.

Il terzo disse: – Piú di un milione!
E tutti e tre avevano ragione.

[da *Filastrocche in cielo e in terra*]

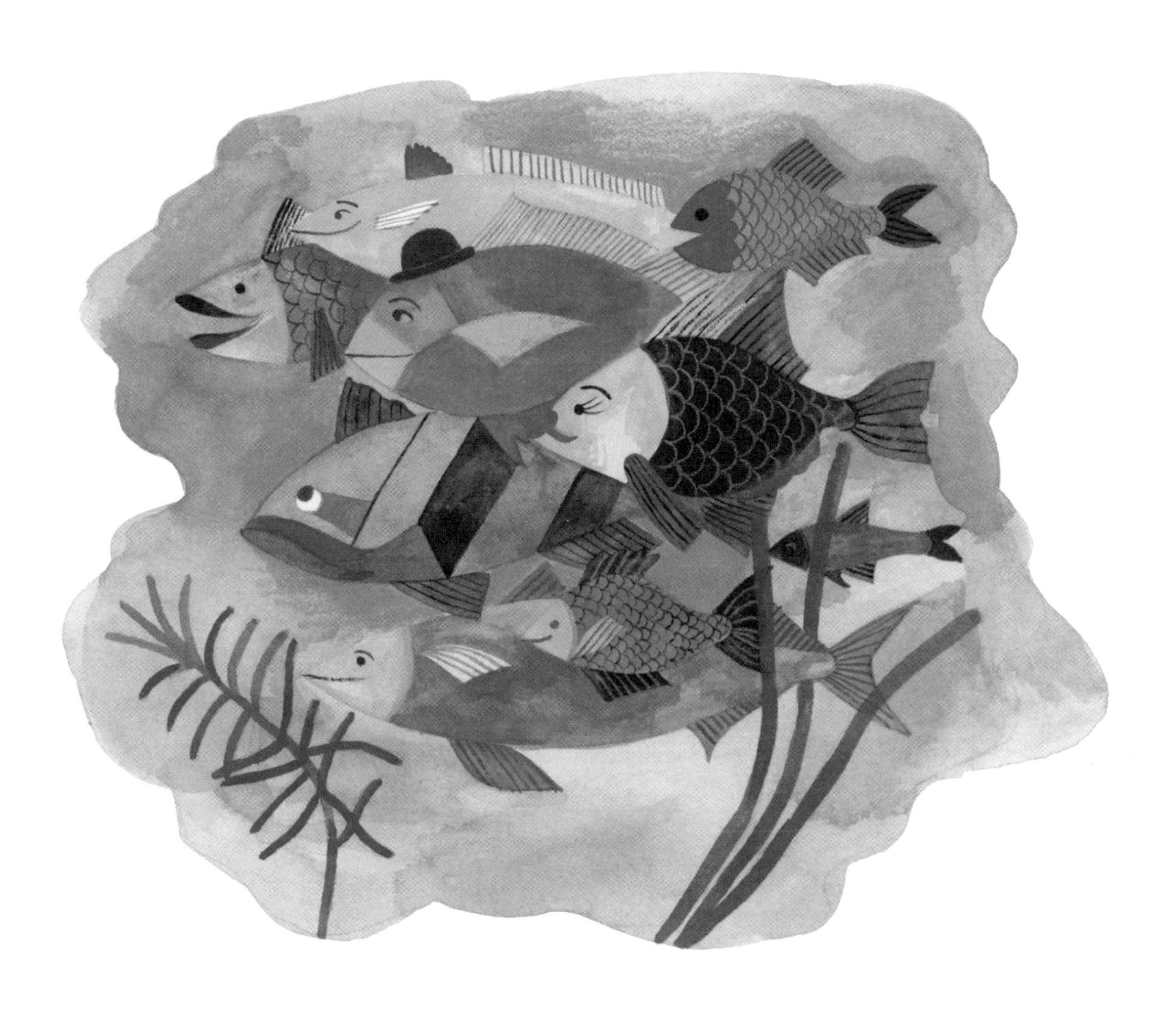

Guidoberto E GLI ETRUSCHI

Tanti e tanti anni fa il professor Guidoberto Domiziani si lasciò crescere una bella barbetta nera e andò in gita a Perugia. Non voglio insinuare che senza barba non se la sarebbe sentita di compiere quella visita alla città che – come dicono le guide – «fu già una potente lucumonia etrusca». Voglio dire che l'idea della barbetta e l'idea della passeggiata sbocciarono nello stesso anno. E da quell'anno, anzi, dal giorno in cui Guidoberto passò sotto l'arco etrusco, detto pure Arco di Augusto, la sua barba e la città di Perugia non si divisero mai piú.

Bisogna sapere che Guidoberto amava alla follia... gli Etruschi. Fra tutti gli avvenimenti, i popoli e gli indovinelli della storia solo gli Etruschi avevano il potere di mettergli il cervello in ebollizione: chi erano? Di dove erano venuti in Italia? E soprattutto: che razza e che diavolo di lingua parlavano?

Bisogna sapere anche questo: che la lingua degli Etruschi ha resistito agli assalti dei millenni e degli scienziati di tutto il mondo, come una fortezza inespugnabile. Nessuno l'ha ancora decifrata, nessuno ne capisce una parola.

Pare che gli Etruschi si siano vendicati cosí: – Ci avete distrutti? Va bene. I Romani hanno occupato e latinizzato tutte le nostre città? Benissimo. Però faremo in modo che nessuno possa mai occuparsi degli Etruschi senza farsi venire il mal di testa e l'esaurimento nervoso.

Quel giorno Guidoberto capitò al Museo Etrusco-Romano: si centellinò le sale ad una ad una, come un ghiottone si centellina il suo liquore per farlo durare.

Il colpo di fulmine scoccò quando egli si trovò davanti al famosissimo «cippo» di travertino, sul quale è incisa la celeberrima «iscrizione etrusca»: poche righe su cui centinaia di studiosi di prima forza si sono consumati il cervello; un rompicapo davanti al quale i migliori enigmisti e solutori di rebus e parole incrociate rabbrividiscono.

Vedere il «cippo» e innamorarsene fu per Guidoberto un punto. Sfiorarlo con mano reverente e decidere, anzi, giurare di capire che cosa c'era scritto, fu una cosa sola.

Gli «etruscologi» – ossia quelli che studiano le cose etrusche – sono fatti cosí. Il professor Guidoberto Domiziani, andato a Perugia per un giorno, ci rimase tutta la vita. Passava i giorni feriali, dalle 9 alle 12 e dalle 15 alle 17 (tale era l'orario del Museo) davanti al suo amato cippo in contemplazione.

Una mattina, mentre rifletteva sulla parola «Rasenna», sforzandosi di capire se significava «popolo», «uomini», o magari «balconi fioriti», si sentí interpellare in una lingua che non conosceva. Un giovane olandese bisognoso di lumi gli aveva rivolto una misteriosa domanda. Guidoberto provò invano a fargliela ripetere in tedesco, in inglese o in francese: si vede che lui e il giovanotto avevano studiato quelle lingue da due professori differenti perché s'intendevano come un coccodrillo e un ferro da stiro.

Il giovane appariva visibilmente ansioso di imparare qualcosa intorno agli Etruschi. Guidoberto era addirittura ansiosissimo di comunicargli tutto il suo sapere. Che fare? Non gli rimaneva che studiare l'olandese. Cosa che egli fece, nei ritagli di tempo, quando il «cippo» non lo assorbiva completamente. In poche settimane la grammatica e il vocabolario dei Paesi Bassi non avevano piú segreti per lui, e il giovane olandese – uno studente della famosa Università per stranieri che ha sede a Perugia – giurava che avrebbe dedicato la sua vita agli Etruschi: almeno per metà, riservando l'altra metà all'Olanda.

L'anno seguente il professor Guidoberto (sempre

nei ritagli di tempo) fu costretto a imparare lo svedese, il finlandese, il serbocroato, il portoghese e il giapponese. A tali nazionalità appartenevano gli studenti stranieri piú sensibili degli altri alla questione etrusca, e Guidoberto doveva per forza studiare la loro lingua se voleva essere sicuro che afferrassero il vero nocciolo della questione: cioè, che la lingua etrusca era un formidabile mistero e chi pretendeva di capirci una parola aveva diritto a un biglietto gratis per il manicomio.

Nel rapido volare di cinque anni il professor Guidoberto, senza rubare un solo minuto alla contemplazione del «cippo», imparò il turco, il russo, il cecoslovacco, l'arabo e una dozzina di lingue e dialetti del Medio Oriente e dell'Africa Nera. Perché ormai a Perugia gli studenti arrivavano anche di laggiú e in giro per la città si udivano parlare tutte le favelle del mondo.

Tanto che una volta un persiano disse ad un altro (ma questi erano turisti, non studenti): – Sembra di essere nella Torre di Babele.

– Errore, – rispose prontamente il professor Guido-

berto, che si trovava a passare. Naturalmente rispose in purissimo persiano. – Perugia, cari signori, è esattamente il contrario della Torre di Babele. Laggiú avvenne la confusione delle lingue, e nessuno fu piú capace di intendere il fratello, il vicino di casa, l'esattore delle tasse. Qui avviene l'opposto: si viene da tutte le parti del mondo e ci si capisce benissimo. La nostra Università per stranieri è l'immagine, se loro mi permettono, di un mondo migliore, nel quale tutti i popoli saranno amici.

I due turisti, nell'udire pronunciare da un italiano quel lunghissimo discorso nella loro lingua materna, senza il minimo errore, furono lí lí per svenire dall'emozione. Immediatamente s'impadronirono di Guidoberto e non volevano mollarlo piú. Lo seguirono anche nel Museo Etrusco Romano, si lasciarono spiegare il «cippo» e si convinsero ben presto, con entusiasmo, che la lingua etrusca era il piú bel mistero dell'universo.

Ma di questi episodi potrei raccontarne a centinaia.

Oggi come oggi il professor Guidoberto parla e scrive correntemente in duecentoquattordici lingue e dialetti della Terra, imparati, si sa, soltanto nei momenti di ozio. La sua barba è diventata grigia, e sotto il suo cappello non è rimasta che una ciocca striminzita. Ogni mattina egli corre al Museo e si immerge nel suo studio prediletto. Per lui il «cippo» è il cuore di Perugia, anzi, dell'Umbria, anzi, dell'universo.

Quando qualcuno ammira la sua cultura linguistica e si profonde in lodi al suo cospetto, Guidoberto fa un cenno seccato con la mano e risponde: – Non dica sciocchezze; sono ignorante quanto lei. Lo sa che in trent'anni non sono riuscito a imparare l'etrusco?

Quello che non si sa ancora è sempre piú importante di quello che si sa.

[da *Il libro degli errori*]

Un tale di Macerata

Ho conosciuto un tale,
un tale di Macerata,
che insegnava ai coccodrilli
a mangiare la marmellata.

Le Marche, però,
sono posti tranquilli.
Marmellata ce n'è tanta,
ma niente coccodrilli.

Quel tale girava
per il monte e per la pianura,
in cerca di coccodrilli
per mostrare la sua bravura.

Andò a Milano, a Como,
a Lucca, ad Acquapendente:
tutti posti bellissimi
ma coccodrilli niente.

È ancora lí che gira
un impiego non l'ha trovato:
sa un bellissimo mestiere,
ma è sempre disoccupato.

[da *Filastrocche in cielo e in terra*]

Buon anno ai gatti

Ho conosciuto un tale,
di Voghera o di Scanno,
che voleva fare ai gatti
gli auguri di Capodanno.

Andando per la strada
da Modena al Circeo,
appena incontrava un micio
gli faceva: – Maramèo!

Il felino, non conoscendo
l'usanza degli auguri,
invece di rispondere
scappava su per i muri.

La gente si stupiva
e borbottava alquanto:
– Ma dia il Buon anno a noi!
che le diremo: «Altrettanto!».

No, quel bravo signore
di Novara o di Patti
si ostinava: – Niente affatto,
lo voglio dare ai gatti.

Voglio andare con pazienza
da Siracusa a Belluno
per fare gli auguri a quelli
cui non li fa nessuno.

[da *Filastrocche in cielo e in terra*]

UN INCONTRO

Un melone
andava a Frosinone.

Incontrò una pera
che andava a Voghera.

Si dissero buongiorno?
No, perché era sera.

[da *Filastrocche in cielo e in terra*]

IL DIRETTO di Campobasso

Sul diretto di Campobasso
ho visto un signore grasso grasso,

tutti in piedi, e lui seduto
su un cuscino di velluto,

e covava il suo cuscino
come un uovo d'oro zecchino.

[da *Filastrocche in cielo e in terra*]

Tanti bachi

Una bambina in vacanza
(forse a Capri, forse in Brianza)
mandò alla sua mammina
una bella cartolina
con «tanti bachetti».

Figuratevi la buona signora
al vedersi capitare
per casa quegli insetti.

Per fortuna erano bachi da seta,
e la mamma, senza inquietarsi,

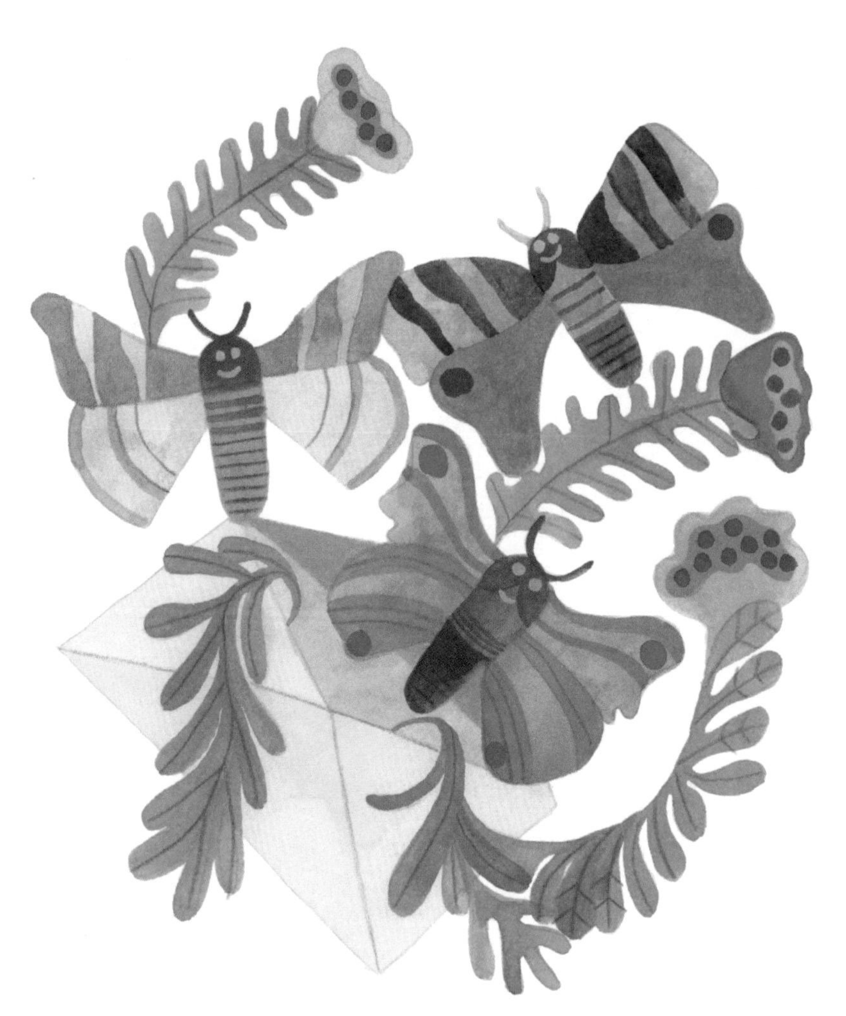

ci fece una sciarpetta
per la sua cara bimbetta.
Gliela mandò in un pacco
sigillato con la ceralacca
e dentro ci mise anche «tanti baci»,
però di quelli buoni, senza l'acca.

[da *Il Pianeta degli alberi di Natale*]

La voce della «COSCENZA»

Conosco un signore
di Monza o di Cosenza
che si vanta di dar retta
alla «voce della coscenza».

Il guaio, con questo signore
di Busto o di Forlí,
è che alla sua «coscenza»
manca una piccola «i».

Se lui ruba, lei lo loda.
Se lui fa il prepotente

lei gli manda un telegramma:
– Mi congratulo vivamente.

Lui infila piú bugie
che aghi su un pino?
Lei subito applaude:
– Bravo, prendi un bacino.

E dovreste sentire
quel tale cosa dice:
– Sono in pace con la coscenza,
perciò sono felice!

Ho provato ad avvertirlo,
insomma a fargli capire
che una «coscenza» simile
è inutile starla a sentire.

Lui però mi ha risposto:
– Andiamo! Per una «i»! –

quel bravo signore
di Bari o di Mondoví.

[da *Il libro degli errori*]

LA STRADA DI CIOCCOLATO

Tre fratellini di Barletta una volta, camminando per la campagna, trovarono una strada liscia liscia e tutta marrone.

– Che sarà? – disse il primo.

– Legno non è, – disse il secondo.

– Non è carbone, – disse il terzo.

Per saperne di piú si inginocchiarono tutti e tre e diedero una leccatina.

Era cioccolato, era una strada di cioccolato. Cominciarono a mangiarne un pezzetto, poi un altro pezzetto, venne la sera e i tre fratellini erano ancora lí che mangiavano la strada di cioccolato, fin che non ce ne fu piú neanche un quadratino. Non c'era piú né il cioccolato né la strada.

– Dove siamo? – domandò il primo.

– Non siamo a Bari, – disse il secondo.

– Non siamo a Molfetta, – disse il terzo.

Non sapevano proprio come fare. Per fortuna ecco arrivare dai campi un contadino col suo carretto.

– Vi porto a casa io, – disse il contadino. E li portò fino a Barletta, fin sulla porta di casa. Nello smontare dal carretto si accorsero che era fatto tutto di biscotto. Senza dire né uno né due cominciarono a mangiarselo, e non lasciarono né le ruote né le stanghe.

Tre fratellini cosí fortunati, a Barletta, non c'erano mai stati prima e chissà quando ci saranno un'altra volta.

[da *Favole al telefono*]

Seimila treni

Seimila treni tutti pieni
per l'Italia se ne vanno
tutti i giorni di tutto l'anno!

Vanno a Milano, vanno a Torino,
a Siena, Bibbiena e Minervino,

vanno a Napoli e a Venezia,
a Firenze, Bari e La Spezia...

A Piacenza attraversano il Po
senza bagnarsi nemmeno un po',

e a Reggio Calabria, questo è il bello,
anche i treni vanno in battello!

Che fila farebbero, a metterli in fila
uno dietro l'altro tutti e seimila!

E su ogni treno c'è un macchinista
che le rotaie non perde di vista.

Le locomotive non vanno da sole:
le ferma tutte, lui, se vuole!

Dunque signori, per piacere:
non fate arrabbiare il ferroviere...

[da *Filastrocche lunghe e corte*]

LE STORIE NUOVE

Ho conosciuto un tale
di San Donà di Piave
che voleva raccontare
la storia di... BIANCANAVE.

Cacciato con vergogna
scappò fino a Terontola
e cominciò a narrare
la storia di... CENERONTOLA.

Di là fuggí in Sardegna,
si fermò a Bortigali

BIANCANEVE
CENERANTOLA

e cominciò la storia
del… MATTO CON GLI STIVALI.

Girò tutta l'Italia,
la Francia e l'Ungheria
sempre a sbagliare storie
e a farsi cacciar via.

E ancora gira e spera
ancora di trovare
qualcuno che abbia voglia
di starlo ad ascoltare,

qualcuno che capisca
che sbagliando, per prova,
con una storia vecchia
si può fare una storia nuova.

[da *Filastrocche in cielo e in terra*]

La sirena di PALERMO

Una volta un pescatore di Palermo trovò nella rete, insieme ai pesci, una piccola sirena. Si spaventò, e stava per lasciar ricadere la rete in mare, ma si accorse che la sirena piangeva e non ne ebbe piú paura.

– Perché piangi? – le domandò.

– Ho perduto la mia mamma.

– E com'è successo?

– Giocavamo a nasconderci tra gli scogli. Mi sono allontanata troppo dalle mie compagne e non le ho piú ritrovate. Sono due giorni che nuoto in cerca di loro, in cerca di qualcuno, non conosco la strada per tornare a casa.

– Eh, il mare è grande! – disse il pescatore, sorridendo alla sirena. Era una sirena bambina, appena piú alta di una bambola. I suoi capelli biondi erano fradici. Dalla vita in giú le sue squame di pesce scintillavano al sole.

– Portami con te, – disse la sirena. – Io non so dove andare.

– Ti porterei, – rispose il pescatore. – Ma ho già cinque figli da mantenere, la casa è piccola e io guadagno poco.

– Portami con te, – pregò di nuovo la sirena bambina. – Io non occupo molto posto. Ti prometto che starò buona e non avrò quasi mai appetito.

– Sentiremo quando sarà mezzogiorno.

– Allora mi porti?

– Nasconditi in quella cesta. Non voglio che la gente ti veda.

– Sono brutta?

– Anzi, sei tanto bellina. Ma la gente trova sempre da ridire e da chiacchierare.

Cosí il pescatore portò a casa la sirena bambina. Sua

moglie brontolò un poco, ma non troppo: la sirena era graziosa, i suoi occhi erano buoni e allegri. I bambini del pescatore erano addirittura felici.

– Finalmente ci hai portato una sorella, – dicevano. Erano cinque maschi e a metterli vicini le loro teste scure sembravano i gradini di una scala.

– Faremo cosí, – disse il pescatore, – le prenderemo una carrozzella, perché deve stare sempre seduta. Le metteremo davanti una coperta e diremo che ha le gambe malate. Diremo che è figlia di un parente di Messina, e che è venuta a stare un po' con noi.

E cosí fecero.

Il pescatore e la sua famiglia abitavano in un povero vicolo, in un quartiere di vicoli poveri e stretti. Le case erano brutte e la gente stava quasi sempre fuori. Nel vicolo, poi, c'erano tante bancarelle, vi si vendeva di tutto: pesci, formaggi, abiti usati, qualsiasi cosa. Di sera ogni bancarella accendeva un lume ad acetilene, e quella luminaria metteva addosso una festosa allegria.

La piccola sirena, seduta nella carrozzella fuori della

porta di casa, non si stancava mai di quello spettacolo. Tutti la conoscevano, ormai. Ogni donna che passava, pensando alla sua malattia, si fermava a farle una carezza e le diceva una parola gentile. I giovanotti scherzavano con lei e fingevano di litigare tra loro per sposarla. I figli del pescatore non parlavano che di lei, erano molto orgogliosi della sua bellezza e le portavano le piccole meraviglie che riuscivano a trovare, vagando tutto il giorno per i vicoli: una scatola di cartone, un giocattolo di plastica, tante cose cosí.

La piccola sirena adesso si chiamava Marina.

Una sera la portarono a vedere il teatro dei pupi. Chi non l'ha visto non sa com'è bello. Sul palcoscenico del teatro i guerrieri, nelle armature splendenti, compiono imprese meravigliose, battendosi in duello con coraggio. Le principesse portano anche loro la corazza e la spada, e non sono meno ardimentose dei paladini. I loro nomi sono nobili e sonori: Orlando, Rinaldo, Carlomagno, Guidosanto, Angelica, Brandimarte, Biancofiore.

Marina era incantata e felice. Quando poi fu l'ora di

andare a letto, cominciò anch'essa a raccontare. Sapeva storie meravigliose, le aveva imparate quando viveva nel mare con le altre sirene. Per esempio, sapeva la storia di Ulisse e dei suoi viaggi, e di quella volta che passò con la sua nave accanto all'isola delle sirene. Chi udiva il canto delle sirene subito si gettava in mare per rimanere con loro. Ulisse voleva udire quel canto, ma non voleva dimenticare e perdere la strada di casa. E cosí l'astuto capitano riempí di cera le orecchie dei suoi marinai, perché badassero alla nave, ma nelle proprie orecchie non mise nulla: poi si fece legare all'albero maestro, per non provare la tentazione di gettarsi in mare. Le sirene gli cantarono le loro canzoni piú belle ed egli pianse ascoltandole, pregò i suoi compagni di scioglierlo. Ma i suoi compagni avevano le orecchie tappate, non udivano e non capivano nulla.

Da quella volta Marina non cessò mai di raccontare. Erano storie di tutti i popoli e di tutti i tempi; delle genti che l'una dopo l'altra avevano messo piede sulla terra siciliana o ne avevano corso il mare: Fenici, Car-

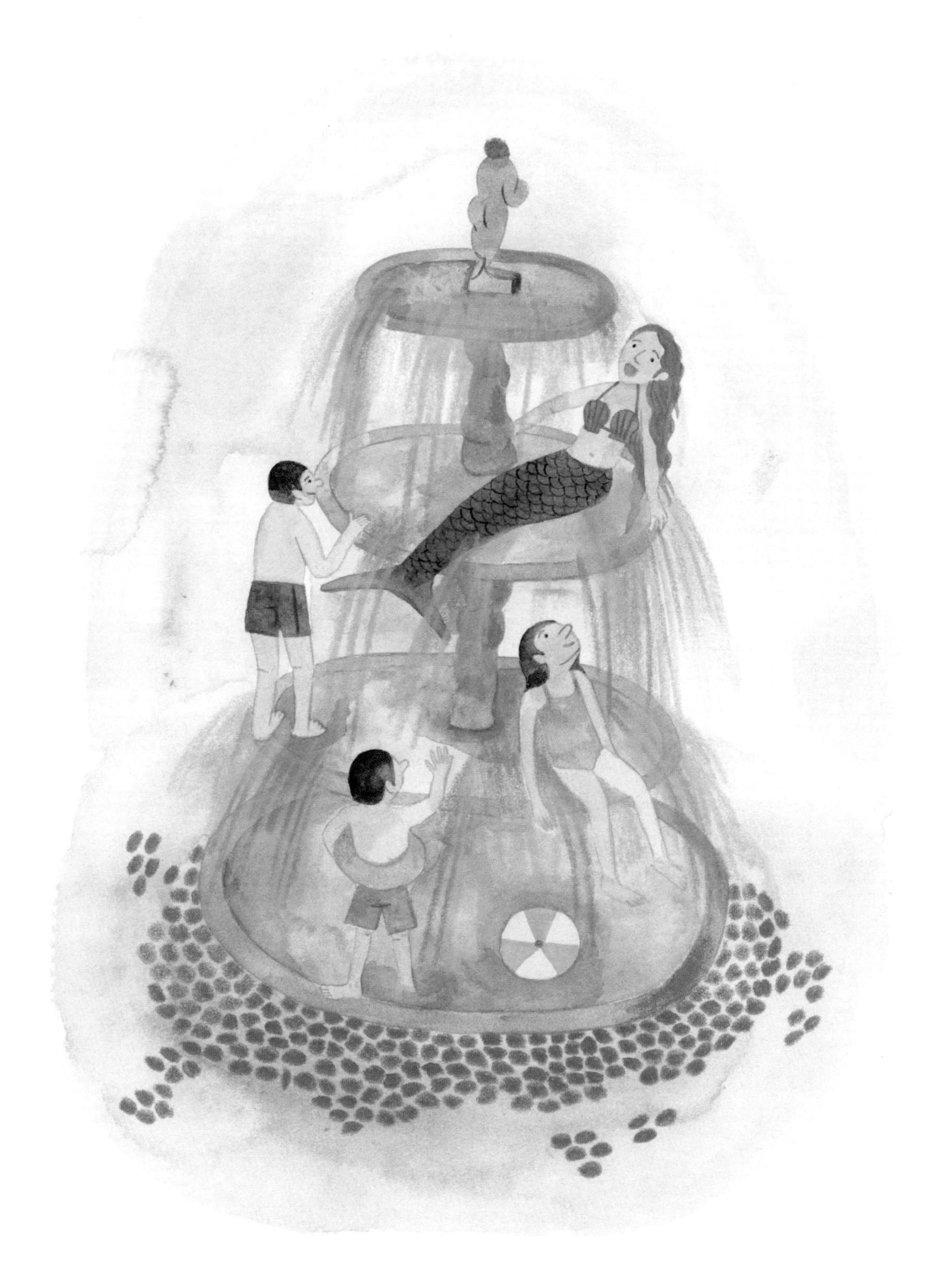

taginesi, Greci, Romani, Arabi, Normanni, Francesi, Spagnoli, Italiani... E storie di pesci, di mostri sepolti negli abissi marini, di navi affondate e spolpate lentamente dall'acqua.

Intorno alla sua carrozzella, nel povero vicolo, c'era sempre un crocchio di bambini. Sedevano silenziosi sui gradini della casa del pescatore, si accoccolavano sul selciato, spalancavano i loro occhi di carbone e di diamante, e non erano mai stanchi di ascoltare.

Ogni donna che passava si fermava un momento, e quando andava via si asciugava una lagrima.

– Quella bambina è una sirena, – dicevano i vecchi pescatori. – Guardate come ha incantato tutti. È proprio una sirena.

Piú nessuno, ormai pensava a lei come a una povera bambina infelice perché non poteva camminare. La sua voce era chiara e squillante, e nei suoi occhi c'era sempre una luce di festa.

[da *Il libro degli errori*]

CARTOLINE ILLUSTRATE

torri, piazze e monumenti

TORI
ITALY

TORINO

Sotto i portici di Torino
ho incontrato uno scolaretto.
Garrone? Nobis? Il muratorino
che della lepre rifà il musetto?

Come le pagine vecchie e care
del vecchio *Cuore*, sempre belle,
le vecchie strade diritte e chiare
si somigliano come sorelle.

Torino, Torino
il Po e il Valentino
le colline incantate
per farci le passeggiate

di fine settimana,
e la Mole Antonelliana
in mezzo alle cartoline
illustrate.

[da *Filastrocche per tutto l'anno*]

Milanone

Milano, Milanone,
tu somigli al tuo panettone,
un po' scura di fuori,
cosí buona di dentro:
e giri tutta intorno al Duomo
che sta in centro.

[da *Filastrocche per tutto l'anno*]

Sul Duomo di COMO

Un signore molto piccolo di Como,
una volta salí in cima al Duomo.
E quando fu in cima
era alto come prima
quel signore tanto piccolo di Como.

[da *Filastrocche in cielo e in terra*]

Il palazzo di gelato

Una volta, a Bologna, fecero un palazzo di gelato proprio sulla Piazza Maggiore, e i bambini venivano di lontano a dargli una leccatina.

Il tetto era di panna montata, il fumo dei comignoli di zucchero filato, i comignoli di frutta candita. Tutto il resto era di gelato: le porte di gelato, i muri di gelato, i mobili di gelato.

Un bambino piccolissimo si era attaccato a un tavolo e gli leccò le zampe una per una, fin che il tavolo gli crollò addosso con tutti i piatti, e i piatti erano di gelato al cioccolato, il piú buono.

Una guardia del Comune, a un certo punto, si accorse che una finestra si scioglieva. I vetri erano di gelato alla fragola, e si squagliavano in rivoletti rosa.

– Presto, – gridò la guardia, – piú presto ancora!

E giú tutti a leccare piú presto, per non lasciar andare perduta una sola goccia di quel capolavoro.

– Una poltrona! – implorava una vecchiettina, che non riusciva a farsi largo tra la folla, – una poltrona per una povera vecchia. Chi me la porta? Coi braccioli, se è possibile.

Un generoso pompiere corse a prenderle una poltrona di gelato alla crema e pistacchio, e la povera vecchietta, tutta beata, cominciò a leccarla proprio dai braccioli.

Fu un gran giorno, quello, e per ordine dei dottori nessuno ebbe il mal di pancia.

Ancora adesso, quando i bambini chiedono un altro gelato, i genitori sospirano: – Eh già, per te ce ne vorrebbe un palazzo intero, come quello di Bologna.

[da *Favole al telefono*]

A PISA

A Pisa c'è una torre
pendente.
Sul prato c'è sempre
un sacco di gente
ad aspettare
che venga giú.
– Allora, caschi?
– Ma casca un po' tu!

[da *Filastrocche in cielo e in terra*]

La stella Gatto

In quel tempo, a Roma, diverse persone andavano via con i gatti. Pensatori che, a causa delle automobili, non trovavano piú la quiete per pensare; vecchi che avevano delle storie da raccontare, ma nessuno li stava a sentire e in casa per loro non c'era piú posto; donne rimaste sole in un appartamento vuoto: pigliavano su e sparivano. Di loro non si sapeva piú nulla. Erano andati via con i gatti.

Come facevano? Questo si è saputo dopo, col tempo. Era una cosa molto semplice. Si faceva, piú che altro, in piazza Argentina.

Questa piazza è fatta cosí: tutt'in giro ci sono strade, palazzi, automobili, filobus, chiasso, ma in mezzo alla piazza c'è uno spazio dove stanno alcuni gloriosi ruderi romani, le rovine di due o tre tempietti, mezze colonne rovesciate, praticelli, qualche pino, qualche cipresso. E i gatti. Non ci possono andare le automobili, là dentro e laggiú, nei sotterranei ombrosi, sotto i portici antichi. È come un'isola serena in mezzo al mare del traffico, da cui la separano una cancellata e pochi gradini. Si scendono quei gradini e si è in mezzo ai gatti. Sono molti, di tutte le razze. Ci sono giovani cuccioli che giocano ad acchiappare lucertole e vecchi gattoni che dormono tutto il tempo e si svegliano solo quando arrivano le «mamme dei gatti», coi loro cartoccetti di avanzi per la cena. Ogni gatto si sceglie il posto che piú gli piace, si infila in una nicchia, si allunga ai piedi di una colonna, si acciambella sui gradini di un tempio.

Quelle persone scendevano i gradini, scavalcavano la bassa cancellata, diventavano gatti e cominciavano subito a leccarsi le zampe.

La gente che passava e guardava, mettiamo, dal finestrino di un filobus, vedeva soltanto gatti. Poteva distinguere quello con un occhio acciaccato da una sassata, quello che aveva perduto un orecchio in battaglia, il grigio, il rosso, il tigrato, il nero. Ma non sapeva che tra quei gatti c'erano dei gatti-gatti, nati di padre gatto e di madre gatta, e dei gatti-persone che prima, nel mondo di su, erano stati funzionari al ministero delle poste, capistazione, conducenti di autotreni o di tassí.

Veramente un modo per riconoscerli ci sarebbe stato. Per esempio, quando arrivavano le «mamme dei gatti» c'erano dei gatti che si precipitavano a disputarsi le frattaglie, le teste di pesce, le croste di formaggio, e questi erano i gatti-gatti. Ce n'erano altri che invece, senza parere, davano prima un'occhiata ai brandelli di giornale in cui quegli avanzi erano stati avvolti. Leggevano un mezzo titolo, dieci righe di una notizia strappata sul piú bello, guardavano la fotografia di una principessa che si sposava. Cosí, mettendo insieme le loro osservazioni, si tenevano al corrente delle cose del mondo di prima, sapevano quando il governo voleva aumentare le tasse e se era scoppiata in qualche posto una nuova guerra.

In quel tempo andò via con i gatti anche la signorina De Magistris, una maestra in pensione che non riusciva piú ad andare d'accordo con sua sorella e se ne andò via, lasciandole anche il suo amato gatto, che si chiamava Agostino. La signorina De Magistris, nella sua lunga vita, aveva insegnato a leggere a migliaia di bambini e aveva avuto decine di gatti, ma tutti di nome Agostino, perché cosí si era chiamato il suo primo gatto, morto sotto il tram, e lei non lo aveva mai dimenticato. Successero tante cose, tra i gatti, dopo l'arrivo della signorina De Magistris.

Una sera essa spiegava le stelle al signor Moriconi, già netturbino ed ora gatto nero con stella bianca sul petto. Altri gatti-persone e non pochi gatti-gatti seguivano le sue spiegazioni, guardando per aria quando lei diceva:

– Ecco, là, quella è la stella Arturo.

– Ho conosciuto uno che si chiamava Arturo, – diceva il signor Moriconi, – si faceva sempre prestare i soldi per giocare al lotto, ma non ha mai vinto.

– Vedete quelle sette stelle là, là e là? Quella è l'Orsa Maggiore.

– Un'orsa in cielo? – domandò, scettico, il gatto Pirata, un gatto-gatto soprannominato cosí perché, come molti pirati della storia, era cieco da un occhio.

– Anzi, – rispose la signorina De Magistris, – ce ne sono due: Orsa Maggiore e Orsa Minore. Anche di cani ce ne sono due: Cane Maggiore e Cane Minore.

– Cani, – sputò Pirata, con disprezzo. – Bella roba.

– Ci sono molte altre stelle con nomi di animali? – domandò il signor Moriconi.

– Moltissime. Ci sono il Serpente, la Gru, la Colomba, il Tucano, l'Ariete, la Renna, il Camaleonte, lo Scorpione...

– Bella roba, – ripeté il Pirata.

– Ci sono la Capretta, il Leone, la Giraffa.

– Ma allora è proprio un giardino zoologico, – commentò il Pirata.

Un altro gatto-gatto, tanto timido che balbettava, soprannominato Zozzetto – («zozzo», a Roma, vuol dire «sudicio»; ma Zozzetto non era sudicio per niente, si lavava venti volte al giorno; valli a capire, i soprannomi...) – Zozzetto, dunque, domandò:

– E c'è... cecè... c'è pu-pure il Ga-gatto?

– Mi dispiace, – sorrise la signorina De Magistris, – il Gatto non c'è.

– Fra tutte quelle stelle che si vedono, – fece il Pirata, – non ce n'è una sola che porti il nostro nome?

– Nemmeno una.

Ci furono dei mormorii di disapprovazione e di protesta.

– Buona, questa...

– Scorpioni, millepiedi, scarafaggi, sí; gatti, niente...

– Contiamo meno delle capre?

– Siamo i figli della serva, noi?

Ma l'ultima parola, per quella sera, toccò al Pirata: – Non c'è che dire, gli uomini ci vogliono proprio bene. Quando ci sono da pigliare i topi, micio di qui, micio di là, ma le stelle le danno ai cani e ai porci. Mi caschi anche l'occhio buono se da oggi in avanti tocco piú un topo.

Passò qualche tempo. Ed ecco che un giorno il signor Moriconi lesse in un pezzo di giornale odoroso di baccalà un titolo che diceva: «Gli studenti occupano l'uni...».

In quel punto il giornale era strappato.

– E che cosa mai avranno occupato? – si domandò ad alta voce.

– L'università, – gli spiegò la signorina De Magistris, che, essendo stata una maestra, sapeva tutto. – Non erano contenti di qualcosa e, in segno di protesta, hanno occupato l'università.

– Ma occupato come?

– Penso che sia andata così: sono entrati, hanno chiuso le porte e hanno cominciato a fare dei comunicati ai giornali, per far sapere che cosa vogliono.

– E... ecco, – balbettò Zozzetto, emozionatissimo.

– Ecco, e poi? – borbottò il Pirata.

– Ma sic... sicuro. È co-così che do-dobbiamo fa-fare!

– Che cosa c'entriamo noi con l'università?

– Ma pe-per la ste... la ste...

– Ho capito, – interpretò il Pirata, – gli uomini non ci danno una stella, noi in segno di protesta occupiamo... Già, che cosa occupiamo?

La conversazione diventò ben presto un tumulto. Gatti-gatti e gatti-persone, afferrata l'idea di Zozzetto, discutevano con entusiasmo il modo di metterla in pratica.

– Bisogna occupare un posto in vista, che la gente se ne accorga subito.

– La stazione!

– No, no, niente disastri ferroviari.

– Piazza Venezia!

– Cosí ci arrestano perché intralciamo il traffico.

– La cupola di San Pietro!

– Sta troppo in alto, un gatto, là in cima, bisogna avere il binocolo per vederlo.

Anche stavolta l'ultima parola toccò al Pirata.

– Il Colosseo, – disse. E subito tutti capirono che quella era l'idea giusta, che il Colosseo era il posto giusto da occupare.

Il Pirata prese subito il comando delle operazioni: – Noi dell'Argentina siamo pochi. Bisogna avvertire anche i gatti dell'Aventino, del Palatino, dei Fori, quelli del San Camillo...

– Sí, quelli! Quelli non vengono, mangiano troppo bene.

Il San Camillo è un ospedale. Nei padiglioni ci stanno i malati, nei praticelli e nei cespugli che circondano i padiglioni ci stanno i gatti. All'ora dei pasti essi si schierano sotto le finestre, anche un quarto d'ora prima, e aspettano che i malati gettino loro gli avanzi del pranzo e della cena.

– Verranno, – sentenziò il Pirata.

Difatti, vennero. Durante la notte vennero da tutta Roma, dai ruderi e dalle cantine, dai luoghi illustri pieni di storia e dai vicoli pieni di immondizie, vennero da Trastevere e da Monti, da Panico e dal Portico d'Ottavia, da tutti i vecchi rioni del centro, dai villaggi di baracche della lontana periferia, a centinaia, a migliaia, vennero i gatti e occuparono il Colosseo. Ogni arcata, ad ogni piano, era occupata da una densa fila di gatti a coda ritta. Ce n'era una fila compatta in cima, sulle pietre piú alte. Erano visibili a occhio nudo e a grande distanza.

I primi a vederli furono gli operai e i garzoni dei bar, che sono i primi ad alzarsi, a Roma. Poi li videro gli impiegati statali, che vanno in ufficio alle otto (poi dicono che i romani sono dormiglioni...). In pochi minuti si fece una gran folla intorno al vecchio anfiteatro. I gatti stavano zitti zitti, ma la gente no.

– E ched'è? 'Na gara de bbellezza?

– È ’na parata: ha da esse la festa nazionale de li gatti.

– Anvedi quanti. Mo’ telefono a casa pe’ fallo sapere ar mio: quanno so’ uscito, dormiva ancora. Ce vorrà vení lui puro.

Alle nove arrivò il primo gruppo di turisti. Volevano entrare al Colosseo per visitarlo, ma l’ingresso era ostruito, tutti gli ingressi erano occupati dai gatti, non si poteva passare.

– Fia, fia, pestiacce! Noi folere fetere Coliseo.

– Prutti catti, pussa fia!

Qualche romano ci si offese: – Brutti gatti? Sarete belli voi! Ma senti ’sti pellegrini!

Volarono parole grosse, stava per scoppiare una rissa tra romani e turisti, quando una signora turista gridò:

– Pravi! Pravi micini! Fifa i catti!

Il fatto è che un momento prima la signorina De Magistris aveva dato il segnale, e i gatti avevano spiegato e ora facevano sventolare una grande bandiera bianca su cui avevano scritto: «Vogliamo giustizia! Vogliamo la stella Gatto!».

Romani e turisti, affratellati da una bella risata, applaudirono fragorosamente.

– E che, – gridò un vetturino borbottone, – nun ve abbastano li sorci, mò ve volete magnà puro le stelle!

La signora turista, che era una professoressa di astronomia e aveva capito di che si trattava, spiegò la questione al vetturino. Il quale borbottò, convinto: – Be', cianno raggione puro loro, povere bbestie.

Insomma, fu una magnifica occupazione e durò fino a mezzanotte. Poi le varie tribú dei gatti si dispersero, a passi felpati, per la capitale addormentata.

La signorina De Magistris, il signor Moriconi, il Pirata, Zozzetto e tutti gli altri gatti-gatti e gatti-persone dell'Argentina sfilarono silenziosamente per via dei Fori, piazza Venezia, via delle Botteghe Oscure.

Zozzetto, per la verità, aveva qualche dubbio: – Ma o… ora la ste… stella ce ce la da-danno o no?

Disse il Pirata: – Calma, Zozzetto, Roma non è mica stata fatta in un giorno. Adesso sanno che cosa vogliamo, sanno che siamo capaci di occupare un Colosseo. La cosa deve fare la sua strada, poco alla volta. Se ci danno la stella Gatto subito, bene. Altrimenti avvertiremo i gatti di Milano, e loro occuperanno il Duomo; prenderemo contatto con i gatti di Parigi, e loro occuperanno la Torre Eiffel. Eccetera, mi sono spiegato?

Zozzetto, invece di rispondere, fece una capriola: a fare le capriole non balbettava mica.

Il signor Moriconi, però, aggiunse: – Bene. Ma poi che non facciano scherzi. La stella Gatto ce la debbono dare che sia proprio sopra piazza Argentina, altrimenti non vale.

– Sarà cosí, – disse il Pirata. E come sempre l'ultima parola fu la sua.

[da *Fiabe lunghe un sorriso*]

Il filobus NUMERO 75

Una mattina il filobus numero 75, in partenza da Monteverde Vecchio per Piazza Fiume, invece di scendere verso Trastevere, prese per il Gianicolo, svoltò giú per l'Aurelia Antica e dopo pochi minuti correva tra i prati fuori Roma come una lepre in vacanza.

I viaggiatori, a quell'ora, erano quasi tutti impiegati, e leggevano il giornale, anche quelli che non lo avevano comperato, perché lo leggevano sulla spalla del vicino. Un signore, nel voltar pagina, alzò gli occhi un momento, guardò fuori e si mise a gridare:

– Fattorino, che succede? Tradimento, tradimento!

Anche gli altri viaggiatori alzarono gli occhi dal giornale, e le proteste diventarono un coro tempestoso:

– Ma di qui si va a Civitavecchia!

– Che fa il conducente?

– È impazzito, legatelo!

– Che razza di servizio!

– Sono le nove meno dieci e alle nove in punto debbo essere in Tribunale, – gridò un avvocato, – se perdo il processo faccio causa all'azienda.

Il fattorino e il conducente tentavano di respingere l'assalto, dichiarando che non ne sapevano nulla, che il filobus non ubbidiva piú ai comandi e faceva di testa sua. Difatti in quel momento il filobus uscí addirittura di strada e andò a fermarsi sulle soglie di un boschetto fresco e profumato.

– Uh, i ciclamini, – esclamò una signora, tutta giuliva.

– È proprio il momento di pensare ai ciclamini, – ribatté l'avvocato.

– Non importa, – dichiarò la signora, – arriverò tardi al ministero, avrò una lavata di capo, ma tanto è lo stesso, e giacché ci sono mi voglio cavare la voglia dei ciclamini. Saranno dieci anni che non ne colgo.

Scese dal filobus, respirando a bocca spalancata l'aria di quello strano mattino, e si mise a fare un mazzetto di ciclamini.

Visto che il filobus non voleva saperne di ripartire, uno dopo l'altro i viaggiatori scesero a sgranchirsi le gambe o a fumare una sigaretta e intanto il loro malumore scompariva come la nebbia al sole. Uno coglieva una margherita e se la infilava all'occhiello, l'altro scopriva una fragola acerba e gridava:

– L'ho trovata io. Ora ci metto il mio biglietto, e quando è matura la vengo a cogliere, e guai se non la trovo.

Difatti levò dal portafogli un biglietto da visita, lo infilò in uno stecchino e piantò lo stecchino accanto alla fragola. Sul biglietto c'era scritto: «Dottor Giulio Bollati».

Due impiegati del ministero dell'Istruzione appallottolarono i loro giornali e cominciarono una partita di calcio. E ogni volta che davano un calcio alla palla gridavano: – Al diavolo!

Insomma, non parevano piú gli stessi impiegati che un momento prima volevano linciare i tranvieri. Questi, poi, si erano divisi una pagnottella col ripieno di frittata e facevano un picnic sull'erba.

– Attenzione! – gridò ad un tratto l'avvocato.

Il filobus, con uno scossone, stava ripartendo tutto solo, al piccolo trotto. Fecero appena in tempo a saltar su, e l'ultima fu la signora dei ciclamini che protestava:

– Eh, ma allora non vale. Avevo appena cominciato a divertirmi.

– Che ora abbiamo fatto? – domandò qualcuno.

– Uh, chissà che tardi.

E tutti si guardarono il polso. Sorpresa: gli orologi segnavano ancora le nove meno dieci. Si vede che per tutto il tempo della piccola scampagnata le lancette non avevano camminato. Era stato tempo regalato, un piccolo extra, come quando si compra una scatola di sapone in polvere e dentro c'è un giocattolo.

– Ma non può essere! – si meravigliava la signora dei ciclamini, mentre il filobus rientrava nel suo percorso e si gettava giú per via Dandolo.

Si meravigliavano tutti. E sí che avevano il giornale sotto gli occhi, e in cima al giornale la data era scritta ben chiara: 21 marzo. Il primo giorno di primavera tutto è possibile.

[da *Favole al telefono*]

L'UOMO CHE rubava il Colosseo

Una volta un uomo si mise in testa di rubare il Colosseo di Roma, voleva averlo tutto per sé perché non gli piaceva doverlo dividere con gli altri. Prese una borsa, andò al Colosseo, aspettò che il custode guardasse da un'altra parte, riempí affannosamente la borsa di vecchie pietre e se le portò a casa. Il giorno dopo fece lo stesso, e tutte le mattine tranne la domenica faceva almeno un paio di viaggi o anche tre, stando sempre bene attento che le guardie non lo scoprissero. La domenica riposava e contava le pietre rubate, che si andavano ammucchiando in cantina.

Quando la cantina fu piena cominciò a riempire il solaio, e quando il solaio fu pieno nascondeva le pietre sotto i divani, dentro gli armadi e nella cesta della biancheria sporca. Ogni volta che tornava al Colosseo lo osservava ben bene da tutte le parti e concludeva fra sé: «Pare lo stesso, ma una certa differenza si nota. In quel punto là è già un po' piú piccolo». E asciugandosi il sudore grattava un pezzo di mattone da una gradinata, staccava una pietruzza dagli archi e riempiva la borsa. Passavano e ripassavano accanto a lui turisti in estasi, con la bocca aperta per la meraviglia, e lui ridacchiava di gusto, anche se di nascosto: – Ah, come spalancherete gli occhi il giorno che non vedrete piú il Colosseo.

Se andava dal tabaccaio, le cartoline a colori con la veduta del grandioso anfiteatro gli mettevano allegria, doveva fingere di soffiarsi il naso nel fazzoletto per non farsi vedere a ridere: – Ih! Ih! Le cartoline illustrate. Tra poco, se vorrete vedere il Colosseo, dovrete proprio accontentarvi delle cartoline.

Passarono i mesi e gli anni. Le pietre rubate si am-

massavano ormai sotto il letto, riempivano la cucina lasciando solo uno stretto passaggio tra il fornello a gas e il lavandino, colmavano la vasca da bagno, avevano trasformato il corridoio in una trincea. Ma il Colosseo era sempre al suo posto, non gli mancava un arco: non sarebbe stato piú intero di cosí se una zanzara avesse lavorato a demolirlo con le sue zampette. Il povero ladro, invecchiando, fu preso dalla disperazione. Pensava: «Che io abbia sbagliato i miei calcoli? Forse avrei fatto meglio a rubare la cupola di San Pietro? Su, su, coraggio: quando si prende una decisione bisogna saper andare fino in fondo».

Ogni viaggio, ormai, gli costava sempre piú fatica e dolore. La borsa gli rompeva le braccia e gli faceva sanguinare le mani. Quando sentí che stava per morire si trascinò un'ultima volta fino al Colosseo e si arrampicò penosamente di gradinata in gradinata fin sul piú alto terrazzo. Il sole al tramonto colorava d'oro, di porpora e di viola le antiche rovine, ma il povero vecchio non poteva veder nulla, perché le lagrime e la stanchezza gli velavano gli occhi. Aveva sperato di rimaner solo, ma già dei turisti si affollavano sul terrazzino, gridando in lingue diverse la loro meraviglia. Ed ecco, tra tante voci, il vecchio ladro distinse quella argentina di un bimbo che gridava: – Mio! Mio!

Come stonava, com'era brutta quella parola lassú, davanti a tanta bellezza. Il vecchio, adesso, lo capiva, e avrebbe voluto dirlo al bambino, avrebbe voluto insegnargli a dire «nostro», invece che «mio», ma gli mancarono le forze.

[da *Favole al telefono*]

SE CI FOSSE...

Se ci fosse una Roma
di gelato:
il Campidoglio al pistacchio,
il Pantheon al limone,
il Colosseo al cioccolato...

Se ci fosse una Roma per giocare:
il Cupolone
per andarci in giostra,
gli obelischi per farci l'altalena,
per fare a guardie e ladri
piazza Navona e piazza di Siena.

Se ci fosse un mondo
per vivere in pace,
per essere amici,
con una scuola
per imparare
a leggere, scrivere e parlare
la lingua della felicità.

[da *Il secondo libro delle filastrocche*]

Il tram numero sei

C'era una volta un tram,
era il tram numero Sei,
andava da piazza Roma
a via dei Tolomei.

Quante corse, in tanti anni!
Ma poco ci ha guadagnato:
era il Sei, è rimasto il Sei,
manco Sette è diventato...

[da *Filastrocche in cielo e in terra*]

INDICE

Per esplorare regioni o scalare
montagne, per scoprire numerose città italiane,
per visitare alcuni dei piú bei monumenti e percorrere
vie e piazze del nostro Paese insieme a Gianni Rodari, consulta
l'elenco completo di tutti i luoghi menzionati dal grande autore
nelle sue opere. Per visionarlo e scaricarlo si può utilizzare il codice
QR presente in copertina.
In questo elenco a ogni luogo corrisponde il titolo dell'opera
all'interno della quale viene citato.
Una guida-fai-da-te con la quale costruire infiniti
itinerari rodariani!
Buona lettura e buon viaggio!

Finito di stampare nel mese di ottobre 2020
per conto delle Edizioni EL
presso OZGraf, Olsztyn, Polonia